Para Neil Ellice

Título original: *Dog Blue*

Adaptación: Raquel Mancera

Editado por acuerdo con Walker Books Ltd., Londres

Texto e ilustraciones © 2004 Polly Dunbar

Polly Dunbar reivindica sus derechos de autoría
sobre el texto y las ilustraciones, de acuerdo
con la Ley del copyright, diseño y patentes de 1988.

Primera edición en lengua castellana para todo el mundo:

© 2004 Ediciones Serres, S. L.

Muntaner, 391 - 08021 - Barcelona

www.edicioneserres.com

El texto de este libro ha sido compuesto con la tipografía Handwriter

ISBN: 84-8488-194-6

ediciones
SerreS

Azul

¡GUAU!

Polly Dunbar

A Mario le encanta
el color azul.

Tiene un jersey
azul,

un collarín
azul,

unos zapatos azules,

pero no tiene un perro azul.

Lo que Mario más

deseaba en esta vida

era tener un perro.

¡Un perro azul!

Por eso, Mario, actuaba
como si realmente tuviera
un perro azul.

Acariciaba
a su perro azul.

Daba de comer
a su perro azul.

Sacaba a pasear
a su perro azul.

Lanzaba un palo
a su perro azul.

Pero los perros imaginarios no van
a buscar los palos que les tiran.

Así que el propio Mario,
corría a buscar el palo.

Mario se hacía pasar
por un perro...
un perro azul.

Se rascaba como si
fuera un perro azul.

Olfateaba como
un perro azul.

Se perseguía

la cola como

un perro

azul.

Incluso ladraba
como un perro azul.

¡GUAU!

¡GUAU!

Le contestó un perro de verdad...

un perro pequeñito,

que estaba solo

y buscaba

dueño.

Un perro blanco
y negro.

Un precioso perro
manchado.

Un perro perfecto.

¡El perro de Mario!

Pero espera...

espera un momento...

¡El perro
de Mario
no es de
color azul!

Mario pensó y pensó.
Si este precioso perro
con manchas blancas
y negras,
es mío, pero
no es un
perro
azul...

quizá debería ponerle algo azul...

¡Lo llamaré

AZUL!

Mario llamó a su perro Azul.

¡Eran la pareja perfecta!

Mario sacaba de paseo a Azul.

Azul sacaba de paseo a Mario.

Mario daba de comer a Azul.

Azul olfateaba a Mario.

Mario acariciaba
a Azul.

Azul movía la cola.

Entonces Azul le enseñó
a Mario cómo se
persigue una cola,
cuando se es un perro
y se tiene
cola de
verdad.

Así que Mario nunca más tuvo
que hacerse pasar por un perro.

Azul quiere mucho, muchísimo, a Mario.

Mario quiere mucho, muchísimo, a Azul.

Sobre todo

cuando...

¡a Mario le toca ir a buscar el palo!